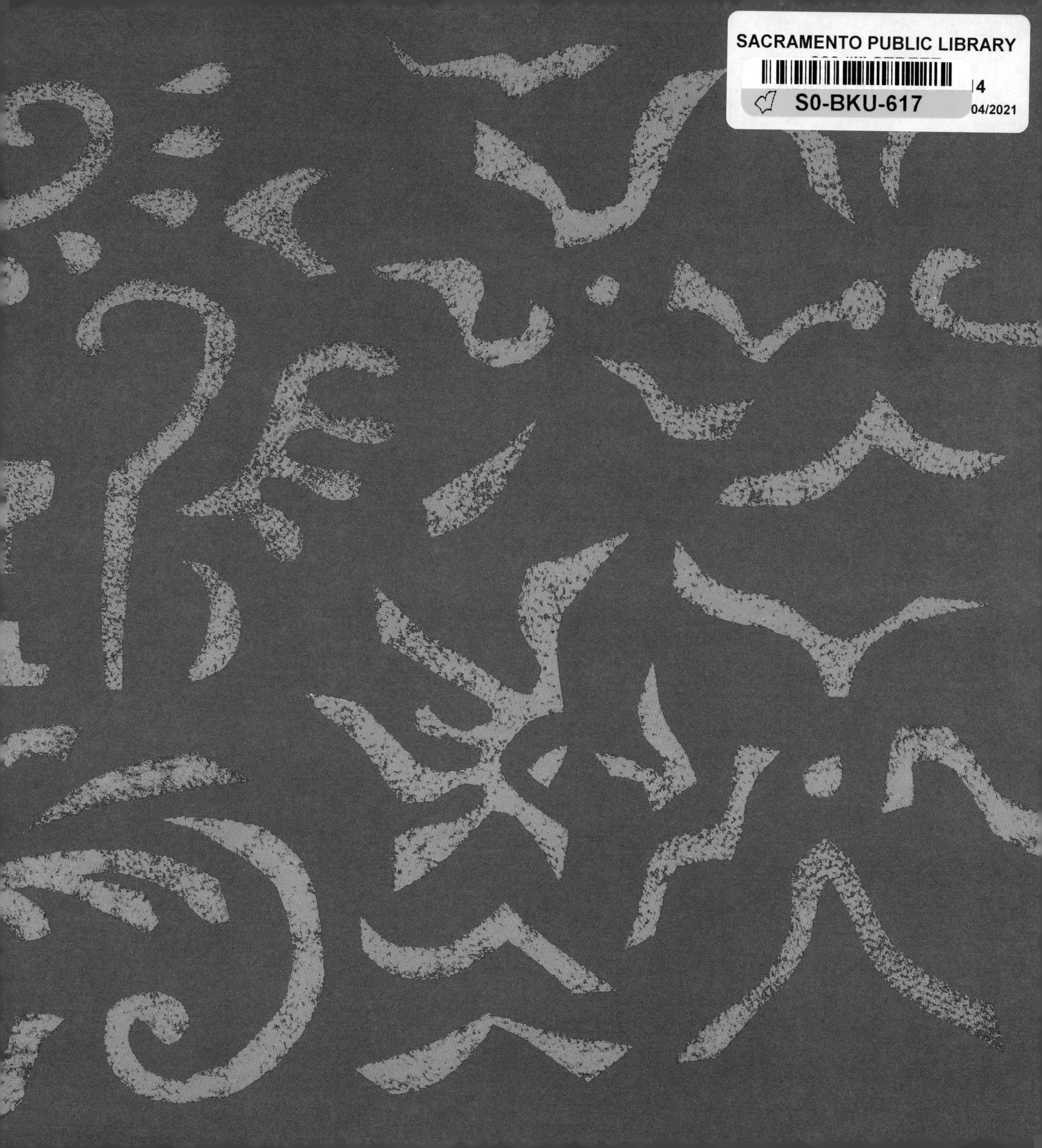

文
景
Horizon

苗族民间故事

灯花

肖甘牛 收集

[日]君岛久子 改编 [日]赤羽末吉 绘 唐亚明 译

上海人民出版社

从前，有个小伙子名叫都林。

他每天上山开垦梯田，种植稻米。

有一年夏天，都林正在山上干活儿。

太阳热乎乎地照着他，黄豆般的汗珠一颗颗地从他身上滚下来，

又从地上滚到一个石窝窝里。

不久，石窝窝里长出一株白玉般的百合花，

柔嫩嫩的梗子，绿油油的叶子，在红太阳下，光芒闪闪。

这时，一阵清风吹来，都林听到有人在唱歌。

“谁唱的？”

都林看了看四周。

原来是百合花摇摇摆摆发出“咿咿呀呀”的歌声。

都林呆呆地望着：“咦？石头上长百合花，百合花会唱歌，真奇了！”

从这天起，都林天天上山挖地，百合花天天在石窝上唱歌。

都林挖得越起劲，百合唱得越好听。

有一天早上，都林到山上，看见百合花被踩倒了。

他急忙把花扶起来，说：“百合花呀，这山上野猪多，我带你回家去吧！”

他双手捧着百合花回家，种在捣米的石臼里，放在房里窗子下面。

都林每天闻着百合花香，听着百合花“咿咿呀呀”的歌声。

到了中秋节的夜晚。

都林在茶油灯下编竹箩筐。

突然，灯芯开了一朵大红花，红花里面坐着个美丽姑娘在唱歌!

灯花忽地闪烁了一下，窗下的百合花不见了。

打那以后，都林每天都和那个姑娘欢欢喜喜地上山种梯田。

晚上，两人欢欢喜喜地在灯光下，一个编竹箩筐，一个绣花手帕。

每逢赶集的日子，都林都把梯田里收获的粮食，

还有竹箩筐、绣花手帕拿到集市上卖，

然后买回锄头、丝线和许多日用品。

俩人的日子过得像蜜一样甜。

日子一天天过去了，都林的茅屋变成了砖瓦大屋。

粮食满腾腾地堆在仓库里，牛羊一大群关在栏里。

都林心满意足，他不肯耕种梯田了，也不愿编竹箩筐了。

他叼着烟杆儿，拿着鸟笼，东寨逛逛，西寨遛遛，整天游手好闲。

姑娘叫都林拿粮食和绣花手帕到集市上去卖，

叫他买回锄头、镰刀和丝线，

可是都林却买鸡买肉买酒回来大吃大喝。

姑娘对都林说："咱们像以前那样，一起去挖地吧。"

可都林说："我的脚疼啊！"

姑娘对都林说："咱们像以前那样，一起在灯下做活儿吧。"

可都林说："我的眼睛疼啊！"

姑娘只好一个人上山种地，一个人在灯下绣花。

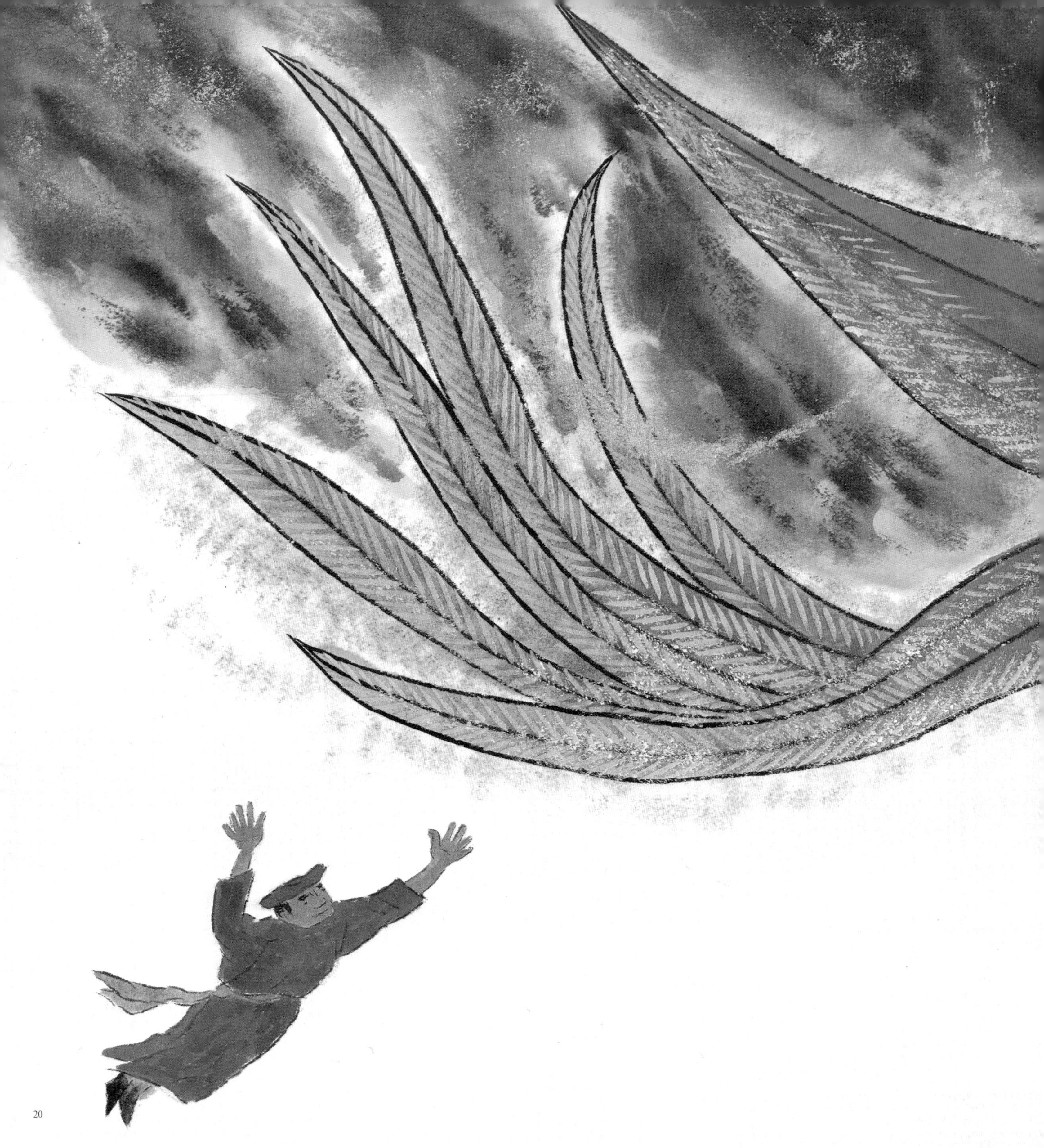

在一个圆月的夜晚，姑娘一人在灯下做针线活儿。

灯花忽地闪耀一下，从里面跳下一只金鸡，

金鸡把姑娘驮在背上，扑棱棱地飞出窗外。

都林忙从床上爬起来，追到窗口，却只扯下了一根鸡尾毛。

他眼巴巴地看着金鸡载着姑娘飞进月亮里去了。

在那以后，没有了姑娘的劝导和帮助，都林更懒惰了。

他吃吃喝喝，叼着烟杆儿，拿着鸟笼，四处溜达。

都林把粮食卖光了，牛羊卖光了，衣服卖光了，

又准备把床上仅有的一张草席子拿去卖。

他掀开席子，发现下面藏着两块绣花布。

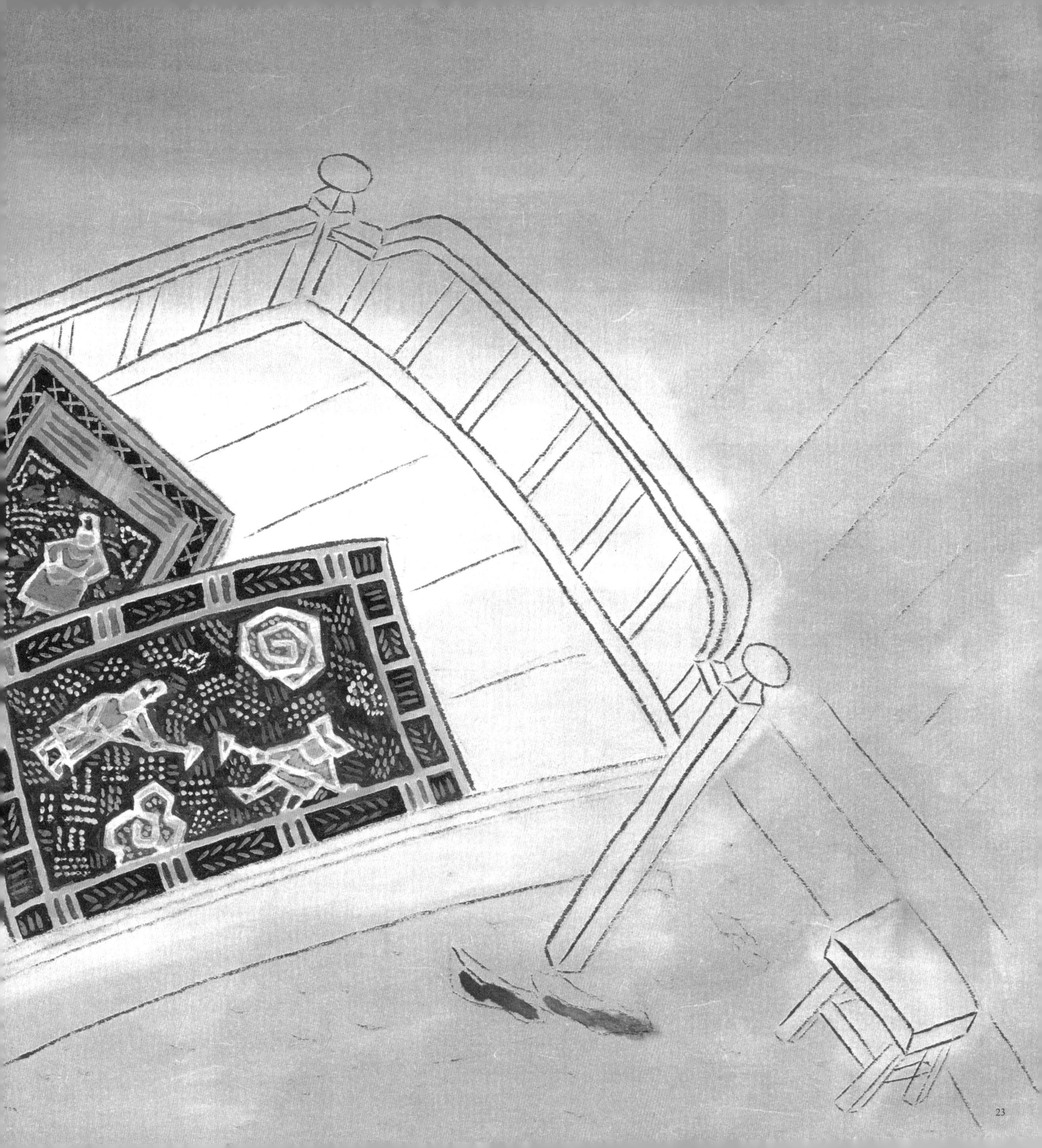

一块上面，绣着都林和姑娘白天在梯田里笑眯眯地收割稻谷，

稻谷满山满岭，像黄金一样发出闪闪的金光。

又一块上面，绣着都林和姑娘晚上在灯下笑眯眯地，

一个编竹箩筐，一个绣花手帕。

都林眼睛看着看着，心里想着想着，忽然眼泪像泉水一样涌了出来，淌在绣花布上。

他用手敲打自己的脑袋，说："都林，都林，你真是自讨苦吃啊！"

他咬着牙，抓起烟杆儿，用力折断，扔进了灶里。

他把鸟笼打开，放画眉鸟飞出去，再用脚踏碎鸟笼，又扔进灶里。

他扛起了锄头，上山拼命挖起地来。

打那以后，都林白天在梯田里耕种，晚上在灯光下编竹箩筐。

他没日没夜地干着干着。

中秋节的晚上，窗下的石臼映照着月光。

都林望着石臼，想起百合花，想起美丽的姑娘，

眼泪又扑嗒扑嗒地落在石臼里。

过了一会儿，石臼里长出一株芬芳的百合花来，

唱着“咿咿呀呀”的歌。

窗外的月光明亮亮，窗里的灯火红堂堂，

正在这时——

突然，灯芯开了一朵大红花，红花里面的姑娘在微笑。

灯花闪耀了一下，姑娘从灯花里跳下来，笑眯眯地站在都林面前。

从此以后，他们夫妻俩白天上山种梯田，

晚上在灯下编竹箩筐，绣花手帕。

生活过得比花还要香，比蜜还要甜。

作者介绍

肖甘牛（Xiao Ganniu）

原名肖钟棠，笔名甘牛，1905 年出生，广西桂林人。毕业于上海大学文学院中文系，作家，1920 年开始发表作品，1979 年加入中国作家协会。毕生致力于民间文学创作，先后整理、编著、创作少数民族民间故事、民间长诗、民间歌谣等民间文学作品集 30 余部，其中大部分是儿童文学。电影文学剧本《一幅壮锦》拍摄发行后获卡罗维发利第十二届国际电影节优秀电影奖。1982 年逝世。

[日] 君岛久子（Hisako Kimishima）

1925 年出生在日本枥木县。毕业于日本庆应义塾大学，都立大学研究生院。曾任日本武藏大学教授，现任日本国立民族博物馆名誉教授，中国中央民族大学名誉教授。长年从事中国文学，特别是民间故事和神话传说的研究。1965 年，《白龙与黑龙》（岩波书店）获产经出版文化奖。1976 年，《西游记》（福音馆书店）获日本翻译文化奖。2010 年，获严谷小波文艺奖。有许多译作和研究著作。

[日] 赤羽末吉（Suekichi Akaba）

1910 年出生在日本东京。1959 年，在日本童画展获茂田井奖。1962 年，《日本神话和传说》获小学馆儿童出版文化奖佳作奖。1965 年，《桃太郎》（福音馆书店）、《白龙与黑龙》（岩波书店）分别获产经出版文化奖。1968 年，《苏和的白马》（福音馆书店）获产经儿童出版文化奖。1973 年，《源平绘卷》（讲谈社）获讲谈社出版文化奖。1975 年，《宝满池河童》获小学馆绘画奖和国际安徒生奖特别奖。1975 年，《苏和的白马》获美国布鲁克林艺术博物馆绘本奖。1980 年，获国际安徒生奖画家奖。1990 年逝世。

唐亚明（Tang Yaming）

资深图话书编辑、作家、翻译家，出生于北京，毕业于早稻田大学和东京大学研究生院。1983 年应“日本儿童图话书之父”松居直邀请，进入日本最权威的少儿出版社福音馆书店，成为日本出版界第一位非日本籍的正式编辑，一直活跃在童书编辑的第一线，编辑了大量优秀的图画书，并获得各种奖项。
主要著作有小说《翡翠露》（获第 8 届开高健文学奖励奖）、绘本《哪吒与龙王》（获第 22 届讲谈社出版文化奖绘本奖）、绘本《西游记》（获第 48 届产经儿童出版文化奖）等。他曾作为亚洲代表，任意大利博洛尼亚国际童书展评委，并任日本儿童图书评议会（JBBY）理事。现于日本东洋大学和上智大学任教，任日本华侨华人文学艺术界联合会会长、日本华人教授会理事，为中日两国读者翻译和创作了许多童书作品。

文景

Horizon

社科新知 文艺新潮

灯花

肖甘牛 收集 ［日］君岛久子 改编 ［日］赤羽末吉 绘 唐亚明 译

出 品 人：姚映然
责任编辑：贾忠贤
特约编辑：谭俐婷
营销编辑：左微微 杨 婷
装帧设计：卜 凡

出 品：北京世纪文景文化传播有限责任公司
(北京朝阳区东土城路8号林达大厦A座4A 100013)
出版发行：上海人民出版社
印 刷：北京盛通印刷股份有限公司

开 本：787mm×1092mm 1/12
印 张：3.5
2020年1月第1版 2020年1月第1次印刷
定 价：56.00元
ISBN：978-7-208-16143-6 / I·1856

图书在版编目（CIP）数据

灯花 / 肖甘牛收集；(日) 君岛久子改编；(日) 赤羽末吉绘；唐亚明译. -- 上海：上海人民出版社，2019

ISBN 978-7-208-16143-6

Ⅰ. ①灯… Ⅱ. ①肖… ②君… ③赤… ④唐… Ⅲ. ①儿童故事－图画故事－日本－现代 Ⅳ. ①I313.85

中国版本图书馆CIP数据核字(2019)第220901号

本书如有印装错误，请致电本社更换 010-52187586

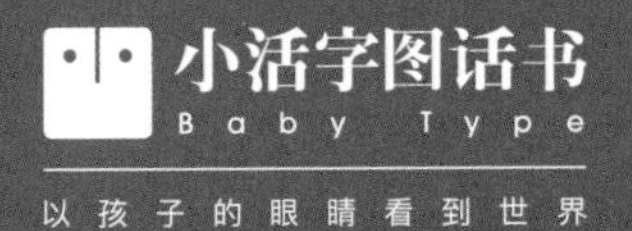

以孩子的眼睛看到世界